O fenômeno da percepçã ... na composição
musical

Sergio Murillo Jerez

O fenômeno da percepção como processo criativo na composição musical

Difracción, uma obra para piano

Novas Edições Acadêmicas

Imprint

Any brand names and product names mentioned in this book are subject to trademark, brand or patent protection and are trademarks or registered trademarks of their respective holders. The use of brand names, product names, common names, trade names, product descriptions etc. even without a particular marking in this work is in no way to be construed to mean that such names may be regarded as unrestricted in respect of trademark and brand protection legislation and could thus be used by anyone.

Cover image: www.ingimage.com

Publisher:
Novas Edições Acadêmicas
is a trademark of
International Book Market Service Ltd., member of OmniScriptum Publishing Group
17 Meldrum Street, Beau Bassin 71504, Mauritius

Printed at: see last page
ISBN: 978-3-330-19769-5

SUMÁRIO

Introdução

Este trabalho teve como objetivo principal o compor uma peça musical que tivesse como estratégia de concepção inicial possíveis associações da música com outros domínios perceptivos. Para se alcançar tal objetivo, partiu-se do princípio de que a percepção das coisas no mundo ou a apreensão de ideias são concebidas como modos de introspecções e não como referências. Considera-se que essas introspecções suscitam e norteiam os diversos processos ou ferramentas que estão relacionadas ao criar compositivo e que são interdependentes de estados mentais, como imagens (desenhos ou imagens acústicas), sensações, afetos, impressões e memória.

Nesse caso, alguns problemas e estratégias de trabalho surgiram desta concepção básica que norteia este trabalho, que diz respeito não somente à esfera prática da composição, mas também a uma reflexão estética sobre conceitos-chave que orientam e, ao mesmo tempo, se deixam influenciar em parte por este processo. Duas hipóteses de trabalho foram relevantes para este objetivo. Primeiro, a hipótese de que a abordagem fenomenológica possa fornecer fundamentação para aquela reflexão estética, ao indagar sobre a aparência e a realidade das coisas. Segundo, a de que modos de introspecção de uma série de experiências mentais (imagens, afetos) e sensoriais possam guiar, em parte, o trabalho compositivo que abriga áreas afins, ao invés da polarização tradicional estabelecida na literatura musical entre o som e a referência externa. Desse modo, algumas estratégias são lançadas *a priori:* primeiro, a de compreender a percepção como modo elementar e fundamental de distinção e "interpretação" da dimensão sonora — que por sua vez poderá vir acompanhada de sensações, afetos ou outros estados mentais. Segundo, a de considerar, nas possíveis configurações perceptivas — que incluem associações com outros domínios perceptivos — a proposta de que aquelas ideias e afetos poderão concorrer para criar formas de organização primária dos materiais. Nesse sentido, é possível compreender que essas ideias podem derivar dos processos mesmos de composição. E terceiro, a estratégia de se utilizar uma gama de sonoridades abrangentes, "configurações" – tendo em vista uma percepção mais global do som, da escuta de vários elementos musicais, como timbre, texturas, formas etc; como material de trabalho para a composição. Deste modo, contempla-se uma aproximação do compor a partir da valorização da percepção, da imaginação e dos sentidos e se vislumbra o desenvolvimento e a criação de materiais para compor, criar ou recriar realidades musicais e cognitivas, a partir das estruturas e potencialidades presentes no nosso entorno e em nós mesmos.

No primeiro capítulo, a ênfase está em apontar a relevância do método fenomenológico e da percepção para dar fundamentos a prática composicional. Nesse sentido, manifesta-se a necessidade de introduzir uma abordagem em que a percepção seja definida como um ato que "consiste de mais de uma única apresentação" (NOGUEIRA, 2009, p. 12) A ideia é não reduzir as experiências de vida a apenas uma soma de acontecimentos psicológicos, os quais se afastam do perceber a existência da realidade de uma maneira imediata. Assim, a percepção da realidade, juntamente com suas qualidades e suas "aparências", tornam-se fontes potenciais para fundamentar o conhecimento e desenvolver os processos criativos deste trabalho. No entanto, não se pretende explicar através da fenomenologia da percepção o que é música ou o que ela representa; mas expor como ela foi experimentada *mediante* a atividade compositiva abordada na peça *Difracción*.

No memorial de composição se apresenta o processo criativo da peça *Difracción,* junto com o modo como o fenômeno da percepção nutre e desenvolve o estágio de criação da peça. No entanto, os diferentes modos de existência percebidos na realidade e o material sonoro da peça são mediados pela reflexão estética que coloca em relação dialógica as duas partes, relacionando-as em um só processo compositivo. O fenômeno de percepção é entendido neste trabalho como evento, sensação ou impressão. Esses eventos, por sua vez, são moldados por qualidades ou sensibilidades pertencentes aos objetos, que podem se "desvelar" (DUFRENNE,

5

2004) se há, sobretudo, uma "tendência" (SIMONDON, 2007) em perceber as coisas sem corrigir nossos atos de percepção (figura 1).

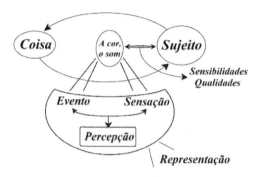

Figura 1 – O fenômeno da percepção - fenomenologia da percepção, Merleau-Ponty, 2006

Nesses termos, surgiram perspectivas que possibilitaram a imaginação e escuta de sonoridades que resultaram do relacionamento com outros domínios perceptivos. Desse relacionamento, então, formaram-se pequenas hierarquias ou ordens que construíram as estruturas musicais para cada peça.

Em *Difracción*, as idéias, percepções e pensamentos que correspondem a ordens ou hierarquias, organizaram-se em diferentes modos de experiência estética. Essas experiências compreendem tanto aspectos "pré-musicais"[1] quanto aspectos dados ao momento da escrita musical que, para a composição da peça, são interdependentes. Para isto, a peça é descrita em três planos noemáticos que correspondem a três estados de consciência ou "níveis", nos quais o filósofo Mikel Dufrenne (1973) aponta as especificidades do objeto estético:

---

[1] Refere-se a aspectos que se originaram antes do processo da escrita.

a. O sensível [nível de presença];

b. O objeto representado [nível de representação e imaginação];

c. O mundo expresso [nível de reflexão e sentimento da percepção geral].

Desse modo, o processo criativo da peça é realizado em sua maior parte em formas de percepção. A duração do tempo vivido em *Difracción* é outro fator que está atado à formação da estrutura musical da peça. Por exemplo, em *Difracción,* a partir da idéia da filósofa Gisèle Brelet (1959), que distingue na atividade criadora uma inspiração formal e uma inspiração material, as estruturas internas, em alguns casos, são determinadas tanto por uma experiência de duração empírica e psicológica do criador quanto por uma experiência da forma no tempo. Segundo a autora, a duração empírica nasce da experiência do *devir* dos estados psíquicos, enquanto a duração formal nasce do ato próprio pelo qual a consciência constrói seu devir interior. Nesses termos, Brelet considera que como a obra musical vive na duração, ela reflete os impulsos criadores dos quais ela se origina.

Há varias experiências ricas em imagens sensações e sons. Essas experiências tiveram uma forte impressão em meu trabalho, como um todo. Nesse sentido a imaginação permite, através de analogias, relacionar na atividade criativa diferentes modos de existência de imagens, sensações e sons, assim como desenvolver estratégias de composição. Nesse contexto, a memória e a duração musical afetam os procedimentos compositivos, que geram materiais para estruturar a peça.

Uma reflexão sobre o papel da percepção no processo compositivo

A realidade em que vivemos se apresenta para nós, em parte, como um feixe de "consciências" — sensações, emoções, impressões, interpretações — de modo a produzir formas de conhecimento necessárias para interagir consigo mesmo e com o mundo. Esses modos de conhecimento da realidade, à medida que se complementam e interagem, sofrem modificações, dão origem a diversas formas de experiências. Para fins deste projeto, essas idéias implicam na formação de um horizonte conceitual e instrumental, a partir do qual e no qual seja possível realizar, principalmente através das experiências sensitivas e perceptivas, trocas de experiências entre compositor e o seu entorno visual e sonoro. Desse modo, a percepção de experiências sensíveis, juntamente com as operações da imaginação e da memória, são fundamentais para nortear a criação de parâmetros de construção e de materiais sonoros no processo compositivo.

Imagens, sensações e emoções, ao serem vivenciadas no tempo, e de modo fictício, no espaço, fornecem-nos subsídios para elaboração de idéias musicais a partir de nosso próprio contexto de mundo.[2] Trata-se de pensar uma realidade fenomenológica que se manifesta à nossa consciência e que nos permita ancorar de modo consciente aquelas imagens que se originam de nossas experiências perceptivas e de nossas trocas com o entorno. Assim, cada sensação, cada realidade imagética, é compreendida como algo inacabado, conformada por uma multidimensionalidade de fenômenos. Daí, então, é possível desenvolver processos criativos, tirando proveito desta multidimensionalidade fenomenológica.

Com efeito, a pesquisa de subsídios conceituais e práticos para fins de trabalho de composição não tem por objetivo estabelecer limites para distinguir o objeto da sensação subjetiva. Não se trata de formar juízos de verdade para justificar o trabalho

---

[2] Conforme Morin (2000, p. 63). Com isso, queremos dizer que os modos de conhecimento das diversas formas de realidade, assim como os concebemos neste trabalho, não visam a apontar a verdade das coisas.

artístico. Não se trata de separar o que converge na construção de um todo, mas de compreender certa realidade como um fluxo contínuo de fenômenos que se manifesta para nós de maneira divergente a cada instante. Neste sentido, as nossas experiências como formas de introspecção são fundamentais para a compreensão desses fenômenos, pois elas propiciam bases criativas para uma composição musical de natureza mais intuitiva e imaginativa.

A compreensão desta abordagem fenomenológica destaca então o papel mediador que a percepção apresenta em nosso processo criativo. Essa mediação gera um horizonte de "conhecimentos" em que podemos perceber a presença de algo, como se fosse a das coisas em si, as quais não são possíveis conhecer por procedimentos lógicos, mas que podem ser apreendidas como fenômenos.[3]

Esta maneira de perceber nos estimula na busca de elementos para criação a partir de interlocuções já existentes, e que aos poucos se ampliam numa complexidade de crescentes reconstruções e processos cognitivos, que então nos conduzem a novas abordagens estéticas. Sob esse ângulo, a fenomenologia, como estratégia para o desenvolvimento compositivo, propicia meios para o desenvolvimento de formas de organização e configuração dos fenômenos apreendidos no contexto do processo criativo.

Assim, partindo-se de uma visão fenomenológica, poderemos abordar processos criativos iniciados em nossas percepções, explorando os diversos modos de nos aproximar dos materiais musicais de uma maneira menos convencional, ou seja, buscando aproximações da música com outros âmbitos de experiência. Parte-se de uma estratégia na qual o sentir, as impressões, a percepção e a interpretação não são operações separáveis entre si; são, ao invés, completamente interdependentes. O objeto de criação não é considerado uma "coisa", mas é a coisa enquanto estiver presente à consciência: tudo aquilo que constitui resultado de um ato de consciência e que, portanto, pode ser real, ideal, fantástico, entre outros. O que importa é a

---

[3] No entanto, esse horizonte não é dado como algo externo a nós, mas como um "campo" que nos envolve e nos permite descobrir novas realidades.

realidade manifestada do objeto, o aspecto aparente do objeto na consciência: é a aparência, o dado à presença na mente, que se dá numa reciprocidade entre a coisa e o sujeito (NOGUEIRA, 2009). Deste modo, podemos descobrir formas de vivenciar e compreender a música a partir de processos — de percepção e interpretação dos fenômenos — dos quais poderá surgir a criação.

O processo criativo, tanto na construção quanto na maneira como nós percebemos as artes, não tem um ponto de início único para o criador, nem para aquele que ouve, levando em conta que, particularmente na música, a escuta também é criativa. Escutar é potencialmente criar. Ou seja, a maneira de ser de cada pessoa, as suas sensações e sensibilidades estéticas são determinantes na construção de processos de percepção e consciência que formam o "saber", e que vão, dessa forma, garantir a fruição desse processo criativo.

Para Merleau-Ponty (2006, p. 279), "o pensamento objetivo ignora o sujeito da percepção". A causa desse pensamento objetivo é dada, segundo Merleau-Ponty, "num mundo todo feito como meio de qualquer acontecimento possível", em que a percepção é tratada "como um de seus acontecimentos". Desse modo, a sensação deixa de ser um elemento real da consciência, pois o ato de percepção torna-se abstraído.[4] Sensações são em parte estados ou maneiras de ser no mundo, e como tais, não deveriam ser compreendidas aparte de um contexto de cognição mais global, em que o ser humano é parte e se relaciona com seu meio. É nele que as experiências acontecem, sem que haja disjunções. Assim, não há um mundo objetivo e outro subjetivo, ambos pertencem ao mesmo mundo. Como diz Morin, "o universo que conhecemos não é o universo sem nós, é o universo conosco" (2000, p. 142).

Ao nos referirmos a coisas objetivas do universo que são verificadas pela observação ou pela experimentação, não podemos também deixar de fora as

---

[4] "Ao propor a descoberta da estrutura da percepção pela reflexão, o intelectualismo desenvolve a noção de *juízo* que é freqüentemente tratado como *aquilo que falta à sensação para tornar possível uma percepção*. Isto é, a sensação deixa de ser elemento real da consciência, e o sujeito da percepção é ignorado". E o autor sinaliza que "na fenomenologia de Merleau-Ponty, ao contrário, a percepção é sempre corpórea, de modo que o corpo está sempre *saturado com seu objeto* ao percebê-lo, e isso contradiz qualquer distinção entre o ato perceptivo e seu objeto". (Nogueira, 2009, p. 18)

percepções a partir das quais conhecemos esse universo, separando-as como se fossem objetos de estudo distantes do sujeito. O ato de percepção não se dá a partir de outra percepção,[5] e sem perceber que nós mesmos percebemos; assim, não podemos esquecer que nossas interpretações são dadas também por convenções herdadas culturalmente. Como afirma a compositora Ilza Nogueira:

> Para os empiristas, há uma distinção entre o sentir e o que é sentido, entre a sensação e a sua causa objetiva. A Fenomenologia, como reitera Merleau-Ponty, sustenta a idéia de uma construção conjunta do ato de sentir com aquilo que é sentido, numa relação recíproca entre o sujeito que percebe e aquilo que é percebido. Isso nega a neutralidade da percepção, que passa a ser fortemente determinada pelo que é percebido. Desaparece a separação entre a consciência e aquilo de que ela é consciente. Aqui, não há divisor entre o fenômeno e a "coisa em si", entre o percebido e o conhecido (NOGUEIRA, 2009, p. 17).

De modo semelhante, em sua epistemologia, Morin afirma que "em todos os domínios [...] o observador deve estar incluído na observação" (2000, p. 143). Desse modo, podemos afirmar que, no processo compositivo, formas de percepção, como sensações, impressões, imagens, por exemplo, podem avivar experiências que se tornam, pois, princípios poéticos para a composição — fontes imagéticas para gerar estrutura e articular o pensamento musical. Sem correr o risco de serem tomados como dados absolutos ou objetos imutáveis, sem a possibilidade de serem reconstruídos de modo idêntico, os eventos sonoros, por meio do processo compositivo podem ser sempre reconfigurados no tempo e em um espaço construído mentalmente.[6]

Existem diversas sensações que podem ser tomadas como materiais do processo compositivo, desde sensações táteis, visuais e auditivas como a tensão gerada por barulhos fortes e repentinos, ou ainda pelo corpo exposto a velocidades extremas, entre outras. O significado destas sensações se apresenta num âmbito interpretativo que comporta experiências e inter-relações fenomenológicas, ou seja, é

---

[5] Porém ela se dá provavelmente a partir de certas estruturas que norteiam a percepção.
[6] Merleau-Ponty, ao fazer uma referência a Descartes e Kant, afirma que não pode "apreender nenhuma coisa como existente se primeiramente não se sentisse existindo no ato de apreendê-la [...]" (MERLEAU-PONTY, 1945, p. 7)

necessário vivenciá-las para criar uma percepção desses eventos que, por sua vez, carregam uma série de sensibilidades percebidas no ato. É nesse âmbito propriamente dito que começa a criação. Como uma troca de experiências da consciência, em que cabem hábitos, valores, ideais, emoções etc. Nessa troca, é possível reconstruir as imagens percebidas e como elas se articulam no processo compositivo, na medida em que há uma contínua interação recíproca entre o compositor e o seu mundo. Com base nesses termos, cabe esclarecer que a percepção e a descrição de fragmentos de imagens ou idéias não devem ser entendidas como modos "de descrever ou imitar figurativamente a natureza, ou de representar e suscitar sentimentos e emoções por meio de sons" (CAZNOK, 2008, p. 77).[7]

Segundo Yara Caznok, "o grande erro das psicologias de cunho cientificistas, está em considerar a sensorialidade [do corpo] como instrumento de registro de algo externo que é sempre igual a si mesmo, unívoco em sua manifestação" (2008, p. 125).[8] Merleau-Ponty (2006) explica que a nossa apreensão do mundo não se dá como um primeiro acontecimento, "ao qual se possa aplicar, por exemplo, a categoria de causalidade". Esta apreensão se realiza, ao invés, como uma recriação ou uma reconstituição do mundo em cada momento. Esta possibilidade de recriação, como a postula Merleau-Ponty, não somente gera a possibilidade de reconfiguração da percepção das coisas, mas também permite transformar o conteúdo apreendido a partir de um ponto de vista artístico. No entanto, para que essas configurações

---

[7] As bases desse compromisso se assentam sobre conceitos de representação, de imitação e de construção simbólica que, uma vez instalados na cultura, predispõem ouvidos e sensibilidades à apreensão de um determinado repertório de obras e, com ele, de uma serie de procedimentos e códigos que garantem a relação entre o sonoro e o visual (Caznok, 2008, p. 77).

[8] Nogueira observa que "o corpo humano e as estruturas da imaginação e do entendimento que emergem de nossa experiência incorporada foram negligenciados na tradição idealista sob a alegação de que introduzem elementos subjetivos irrelevantes na reflexão acerca da natureza objetiva do sentido. Nessa tradição, [...] a razão é algo abstrato e transcendente; portanto, desligada de qualquer aspecto corporal do entendimento humano. [...] No contexto cognitivo contemporâneo, ao contrário, "corpo" é entendido como um termo genérico para a origem das estruturas imaginativas do entendimento, e esse entendimento humano incorporado é algo indispensável para a formação do sentido e da racionalidade. O "entendimento" é considerado, pois, algo composto pelas estruturas imaginativas que surgem de nossa experiência enquanto organismos corpóreos que interagem com um meio. Tudo isso fundado na ampliação do termo "experiência", que passa a ser entendido num sentido que inclui as dimensões perceptivas, motoras, emocionais, históricas, sociais e lingüísticas: tudo aquilo que nos faz humanos. (2009, p. 19).

possam se realizar como processos criativos, é necessário que exista o ímpeto por descobrir novos modos de existência das coisas e, sobretudo, uma "tendência fundamental do ser humano de experimentar uma impressão estética em certas circunstâncias reais e vitais" (SIMONDON, 2007, p. 198).

É nesse sentido que é possível aludir ao verdadeiro, que se origina, em parte, como um processo subjetivo de criação, e não a partir de materiais pré-configurados que determinam a "competência" musical (BUCKINX, 1998) do trabalho realizado. O valor da arte não é idêntico ao seu valor cognitivo. Portanto, não se pode justificar a autenticidade de um trabalho a partir de suas fontes, de suas teorias. Isto seria atentar contra a validade artística de qualquer obra, desvirtuando-se ao mesmo tempo, de toda uma construção cognitiva mais global, mais complexa, que está presente no seu processo de elaboração.

Desse modo, a percepção estética se apresenta por excelência como ferramenta para o processo criativo. As nossas diversas sensações, afetos, imaginação e memória[9] têm um papel fundamental na criação global e na transformação de idéias, na organização e configuração de nossas experiências cognitivas do ponto de vista composicional. Essas experiências não são vividas separadamente.[10] Nas palavras de Caznok (2008, p. 127): "o que é sentido não é uma experiência da vista ou da audição, é [ao mesmo tempo] uma visão e uma escuta do mundo e isso implica coexistência e comunhão".[11]

O fato de se alcançar estas experiências, não como causalidade dos próprios sentidos, segundo a autora, mas como estando prestes a ser "sincronizadas"[12] com as

---

[9] Smolka (2000) nos remete às várias concepções e formas que o conceito de memória vem apresentando no decurso do tempo e como elas influenciam conjuntamente o nosso modo de pensar. Apesar de sua ligação com os diversos modos de socialização e de cultura que vigora em uma comunidade, a memória de imagens é a que se destaca nesse contexto por apresentar uma forte ligação com a experiência pessoal e com a visão de mundo das pessoas.

[10] Apesar de que é possível focar um determinado objeto com o olho ou com o ouvido, por exemplo.

[11] Wilson, em seu livro *Pensar com conceitos,* afirma que é possível ter-se conceitos de objetos — concretos ou abstratos — sem ter uma imagem visual ou palavras para descrevê-lo. Essa idéia converge no sentido da concepção fenomenológica que apresenta Caznok (2001, p. 54).

[12] Termo que usa a autora para designar a reciprocidade original existente entre os entes e a natureza na formação do mundo com base na fenomenologia.

qualidades do objeto, implicaria a existência de novas experiências, olhares, escutas que excedem a percepção convencional destas. As sensações ou percepções, assim, tornam-se experiências significantes, "fragmentos" que são imanentes àquilo que é sensível no mundo. A fenomenologia da percepção pressupõe que essas sensibilidades são imanentes tanto do ser quanto do mundo nos seguintes termos: "a sensação é um evento do sensível — eu não sou um sujeito sensível, sou o sensível porque também sou mundo" (CAZNOK, 2008, p. 127). Assim, o sentir mantém a comunicação entre o "eu" e o mundo, modulando a totalidade desta relação.[13]

No sentir, não há diferença entre sensação e percepção. A sensação não é um primeiro estágio da percepção, um ato inaugural do conhecimento. Ela não procede de atos de uma consciência da qual o analista pode desembaraçar os fios intencionais — ela pertence ao mesmo tempo ao sentiente (aquele que sente) — ao sentido do corpo e ao do mundo (CAZNOK, p. 127).

Portanto, as sensibilidades operam no mesmo campo do sujeito e da coisa percebida. A qualidade pertencente a um objeto, como a sua cor ou o seu timbre, por exemplo, no caso do som, é percebida como um elemento que interliga significativamente o homem e a coisa percebida.[14] Assim, um feixe de qualidades que apresenta certas características, que aparece como uma configuração, se "sincroniza" com o ouvinte em um ato perceptivo ou de acordo com as sensações próprias para se atingir uma experiência.

Nesse contexto, a fenomenologia é de certa forma uma crítica ao empirismo e ao racionalismo filosófico tradicional, pois ela resgata a riqueza e a complexidade da realidade humana, que ultrapassa as experiências dicotômicas do mundo e releva o conhecimento e a experiência humana sem submetê-la ao racionalismo puro ou à

---

[13] Caznok usa o termo "simbiose", talvez de forma não apropriada, para se referir a uma "condição de relacionamento no qual uma consciência não opera separada de um objeto" (2008, p. 124).
[14] De forma radical, Merleau-Ponty enfatiza essa sincronicidade ao afirmar que "a percepção não é uma ciência do mundo, não mesmo um ato, uma tomada de posição deliberada, é o fundo sobre o qual todos os atos se destacam e ela está pressuposta por eles. O mundo não é um objeto no qual possuo em meu íntimo a lei de constituição, ele é o meio natural e o campo de todos os meus pensamentos e de todas as minhas percepções explícitas" (1945, p. 8).

sistematização de conceitos ou abstrações. Rejeita a divisão da realidade entre o objetivo e subjetivo, o aparente e o real, e tenta deixar a redução da experiência e o conhecimento humano fora do seu âmbito de desempenho (BOWMAN, 1998).

De certo modo, a conceituação aqui exposta reúne, articula e permite estabelecer decisões composicionais do ponto de vista próprio e particular sobre a percepção da realidade. Entretanto, essas decisões não se afastam da reflexão crítica que se faz sobre os procedimentos criativos imanentes ao fenômeno da percepção. E a experiência estética demanda formas de funcionamento da mente que fazem jus à complexidade da realidade humana[15]. Nesse sentido põe-se em oposição diametral à idéia do compositor Pierre Boulez, que em seu artigo "The composer as critic" argumenta pela necessidade de uma crítica que esteja a serviço da necessidade de preparação, construção e revisão de uma obra. Para este, o limite que ao compositor apresenta é o de que todo "trabalho de arte vital demanda do artista uma firme recusa de autocomplacência" (1986, p. 111). Ao contrário, o exercício da composição deriva do equilíbrio, por um lado, de dados empíricos da experiência que são necessários para o entendimento da realidade, dados que são dependentes da experiência humana e, por outro lado, da tendência da mente e da razão que busca construir a realidade em termos excessivamente redutíveis. O papel do método fenomenológico seria apoiar e nortear o trabalho de pesquisa de criação musical.

Como vimos, neste trabalho o processo compositivo se apoia em uma concepção fenomenológica do mundo que parte de um relacionamento original entre a consciência e o mundo. Os modos pelos quais o "sensível" se dão à nossa percepção e consciência geram uma visão de mundo e propiciam uma renovação de experiências sensoriais e de conhecimentos. Assim, podemos criar uma analogia com o processo criativo. Nele, as sensações e impressões vividas, as percepções que geram imagens, sentidos, e aguçam a nossa imaginação e memória se tornam, estrategicamente falando, relevantes para gerar ou reforçar vivências estéticas no

---

[15] Dufrenne, por exemplo, argumenta que processos perceptivos não são suficientes para se atingir a experiência estética, precisando assim, da imaginação (2004).

processo compositivo. O etnomusicólogo Philip Bohlman (2001, p. 29), assim como o filósofo Giovanni Piana (2001, p. 150), consideram que a percepção do tempo se dá ontologicamente no ato da lembrança (ou da *performance* como tal). Assim, o exercício da memória, por sua vez, juntamente com o da imaginação pode estimular o compositor a renovar constantemente a sua abordagem e os seus materiais de trabalho.

Processo criativo

L'art ne s'explique que par lui-même.

Gisèle Brelet.

As idéias apresentadas neste memorial de composição gestaram-se durante um processo longo, em que a percepção de fenômenos dados à realidade influenciou a criação de estruturas musicais que organizaram a transformação daquelas idéias e percepções em material sonoro. Dessa maneira, neste memorial, o processo criativo da peça, em parte, inicia-se da assimilação de fenômenos da realidade, impressões, sensações, afetos, imaginação e memória, que desenvolvidos sob um tratamento estético musical, pretendem alcançar outras realidades ou dimensões. "Cada mundo singular é um possível mundo real. E esse mundo real é, também, o mundo vivido pelos homens" (DUFRENNE, 1973, p. 46) — que, a partir da atividade estética, transforma suas idéias por meio da organização e configuração de experiências cognitivas.

A busca de sentidos e significados como experiência estética, neste trabalho, segue o ponto de vista do filósofo francês Gilbert Simondon, para quem a atividade estética se origina de uma forma "espontânea" de percepção e organização dos seres e de suas maneiras de ser na natureza. Em suas palavras:

> A realidade estética não pode ser entendida como propriedade, nem como objeto, nem como sujeito [...] a realidade estética não está separada nem do homem, nem do mundo [...] não é nem ferramenta, nem instrumento. [...] há uma beleza das coisas e dos seres, uma beleza das maneiras de ser, e a atividade estética começa por percebê-la e organizá-la, respeitando-a quando é produzida naturalmente (2007, p. 201).[16]

Conforme Simondon, essa realidade estética é originária da sensação, da realidade do sensível, que sem dúvida está entrelaçada com o homem e com o mundo.

---

[16] As citações de Gilbert Simondon foram traduzidas pelo autor dessa dissertação.

Difracción

A peça *Difracción* foi criada em um período de tempo de aproximadamente cinco meses. O processo de escrita teve início na disciplina de composição do curso de mestrado. Embora no começo desse período criativo os interesses pela fenomenologia da percepção não estivessem ainda completamente entrelaçados com o processo compositivo da peça, a abordagem estética em *Difracción* já se apoiava em fundamentos perceptivos relacionados à fenomenologia. Isso se deve em parte a outros processos compositivos, que, realizados anos atrás, foram elaborados também com base em "experiências perceptivas".[17]

Desse modo, os conteúdos estéticos, que a principio moldaram e serviram para desenvolver a peça (que serão mencionados mais adiante), distam dos elementos musicais convencionais, como: alturas, ritmo, melodias e acordes. Porém, os elementos que foram utilizados para gerar o material sonoro da peça — antes de ter contato com a caneta e o papel ou ainda com o piano — correspondem de certo modo a uma ordem "pré-musical". Esses aspectos pré-musicais em *Difracción,* que ocorrem em diferentes níveis de pensamento ou idéias, são os materiais que vão gerar posteriormente a percepção global, estética, da peça.

Na terceira parte de sua *Phenomenology of aesthetic experience* (1973), Dufrenne busca descrever o objeto estético através de três planos noemáticos: o sensível, o do objeto representado e o do mundo expresso. A esses três planos noemáticos correspondem, segundo o filósofo, os níveis de presença, de representação e de reflexão. (figura 2)

Em *Difracción,* os materiais pré-musicais parecem estar presentes em dois desses três estados de consciência mencionados: o de representação e imaginação e o de reflexão e sentimento, na percepção geral. Já o nível de presença tem participação no processo de materialização do som e, será abordado junto com a descrição musical da peça.

---

[17] Refiro-me a outros trabalhos compositivos e pricipalmente a seu trabalho de conclusão de graduação.

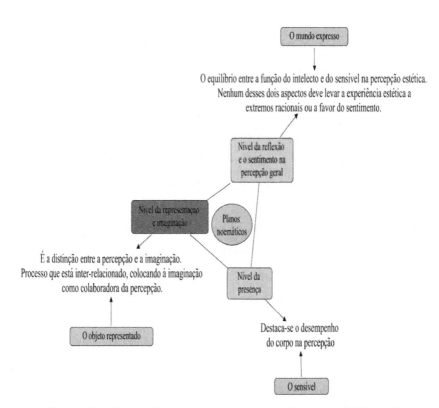

Figura 2 – Descrição do objeto através de três planos noemáticos (DUFRENNE, 1973).

Reflexão e sentimento na percepção geral da peça

A concepção presente em *Difracción* pode ser definida, em parte, pela convergência de reflexões estéticas construídas a partir de imagens de natureza musical e configurações imagéticas relativas a outras áreas artísticas de diferentes épocas. Essa concepção se originou de modo fragmentado pouco antes do início da escrita da peça.

O primeiro aspecto relevante a ser tratado nesse nível corresponde a um processo de acumulação, oposição e convergência de informações e conhecimentos que foram sendo adquiridos desde o início do curso de graduação até a conclusão de *Difracción*. São temas musicais que foram elaborados em um contexto perceptivo mais global, que abarca determinadas estruturas e formas de organização do sistema tonal e do pensamento atonal. Essas primeiras idéias presentes na composição, ao serem trabalhadas anteriormente em outras peças, geraram uma série de aspectos, não apenas relacionados à composição musical, mas também aos sentimentos e percepções que emergem das interações com as realidades vividas em diferentes contextos. Conforme David Bohm, o homem parece ter uma "necessidade fundamental [...] de assimilar as experiências tanto do seu meio ambiente quanto de processos psicológicos internos" (2005, p. 19). A assimilação dessas experiências trouxe então novas idéias para a composição.

Durante o curso de graduação, a aprendizagem teórica e prática de formas de pensamento e valores presentes no sistema tonal me possibilitou alcançar experiências musicais significativas dentro do sistema tonal. Em algumas ocasiões, o desenvolvimento desses fundamentos musicais foi importante para que, na época, pudesse refletir sobre o meu processo de composição, que, na época, estava mais ou menos conformado por um sistema de regras de caráter convencional de organização hierárquica de sons. Essa reflexão foi importante para que eu questionasse até que ponto o sistema tonal poderia ser útil para a manifestação de certas experiências perceptivas que ultrapassavam aquelas regras de organização sonora.

> Schöenberg apela aos direitos do espírito revolucionário [...] sobre a necessidade de não renunciar as regras tradicionais, salvo, sob o imperativo de uma *exigência interior* [...] A liberação ao respeito das regras antigas, não deve nascer "do ímpeto arbitrário de destruí-las" (BRELET, 1957, p. 26, grifo nosso).[18]

Apesar dessa reflexão ter sido abandonada provisoriamente, ela teve uma função muito importante em outros momentos do processo compositivo, pois, com o passar do tempo, a curiosidade e a imaginação a quebraram em fragmentos. Foi através desses fragmentos que se tornou possível ligar objetos e sensações

---

[18] As citações de Gisèle Brelet foram traduzidas pelo autor dessa dissertação.

pertencentes a diferentes momentos da consciência. Em certos momentos criativos, foi possível vivenciar esses conteúdos de modos diversos, no tempo e no espaço. Apesar de fragmentadas, mas não desvinculadas de um todo mais amplo, essas idéias permitiram, posteriormente, criar uma série de ligações temporais associadas a um espaço fictício, e desse modo, gerar uma diversidade de experiências perceptíveis entrelaçadas. Assim, esses fragmentos, ao serem reconfigurados na mente e, ao mesmo tempo, se constituírem como complemento de um todo, podem formar um "pensamento estético" — um pensamento que, segundo Brelet, "mantém a lembrança implícita da unidade" (p. 197). O filósofo Simondon (2007), por sua vez, argumenta que certos "pontos-chave" que se destacam de um emaranhado de coisas na realidade vivida podem formar em potencial uma "rede" de pensamentos de natureza estética. Nesse sentido, "passiva" por algum tempo, mas ligada a uma rede de pensamentos, afetos, percepções e memórias, aquela reflexão sobre as limitações da tonalidade foi relevante, posteriormente, para atingir a percepção estética global de *Difracción*.

Durante esse processo, tanto as lembranças relativas aos limites que o sistema tonal trouxe ao trabalho compositivo quanto a gradual assimilação de materiais e formas de organização do pensamento atonal foram fundamentais para a abertura de uma nova perspectiva de elaboração musical. O uso da atonalidade na composição, ao ampliar e enriquecer o contexto estético de abordagem artística, trouxe uma visão crítica em relação ao uso das regras de funcionamento tonal. Como afirma José Miguel Wisnik em relação à série dodecafônica, "a série [...] foge à recorrência melódica, harmônica, rítmica, através de uma organização simultaneísta de todos os materiais sonoros, de natureza polifônica e descentrada" (1989, p. 162). O acréscimo musical que representou o atonalismo foi, sem dúvida, significativo, possibilitando uma maior aproximação entre suas experiências perceptivas e a música.

Porém, essa nova abordagem em relação aos materiais — que envolve uma reorientação do pensamento em relação aos procedimentos compositivos — afetou em parte o processo criativo. O trabalho com novos paradigmas que colocaram à prova habilidades e desempenhos que asseguravam familiaridade no contexto estético de trabalho trouxe uma série de sentimentos que pareciam rejeitar esses avanços na composição. As impressões que permaneceram dessa experiência foram relevantes para se enriquecer o processo criativo, pois elas serviram para questionar a experiência estética durante a realização da peça. Nesse mesmo contexto, o relacionamento com o novo procedimento compositivo me levou a experimentar novas possibilidades de organização dos materiais sonoros durante as atividades práticas. Porém, ao me libertar-me das regras que limitavam o processo criativo e a vivência de experiências perceptivas mais amplas no âmbito da música, ocorreu primeiramente uma dificuldade em compreender e organizar esses materiais no âmbito da escuta e da vivência estética.

De certo modo, essa experiência gerou uma frustração e um sentimento de inconformidade para com as formas de pensamento atonal, de maneira similar ao que havia acontecido anteriormente em relação às limitações apresentadas pelo sistema tonal para desenvolver minhas idéias na composição. A dificuldade de não poder criar imagens mentais sonoras para articular a forma musical trouxe novas reflexões, que foram aos poucos se incorporando, também de modo fragmentado, às experiências temporais e espaciais vividas pela imaginação e pelos sentimentos, de modo geral.

As reflexões dadas a partir de uma descrição das experiências apresentadas, apesar de representar em parte uma inconformidade com a realidade musical vivida até o momento, apontam para uma complexa rede de percepções e sentimentos que tiveram uma função importante no amadurecimento das propostas introduzidas nesse projeto. Mas refletir sobre esses aspectos é estabelecer uma posição na qual é possível observar mais de perto estas experiências. Segundo Dufrenne, "é recuperar a aparência, para descobrir novas significações [...], a qual é a fonte da experiência vivida" (1973, p. 370). Nesse sentido, dentro desse nível de consciência que Dufrenne propõe, podemos perceber que existe uma oscilação entre a atitude crítica e a sentimental, pois se observa com certo tipo de objetividade o processo criativo.

Representação e imaginação

Existem diversas imagens mentais que participam no processo pré-musical de *Difracción*. Essas imagens constituem um ato de percepção e de imaginação criativa e normalmente ocorrem em um âmbito mental pré-verbal, de imagens e sensações não contínuas. Assim, muitas vezes torna-se difícil a sua descrição. No entanto, de alguma maneira latente essas imagens se formaram, gerando uma representação do objeto estético *Difracción*.

A primeira imagem mental que surgiu poderia ser descrita, de maneira aproximada, por uma imagem central, composta por duas linhas divergentes, em movimento, que se dirigem para planos distintos e então convergem sucessivamente para um "fundo" indescritível. A relação dessa imagem com o processo criativo é muito importante na medida em que ela foi um lampejo encarregado de conectar as duas realidades distintas, vividas por mim em diferentes contextos. Ou seja, as duas reflexões sobre o pensamento tonal e atonal que se fragmentaram no tempo.

Essa imagem composta de duas linhas convergentes se mostrou uma percepção clara, autêntica. Conforme classificação de Bohm (2005, p. 39) a respeito das formas de percepção intuitiva e lógica, esse lampejo *(flash)* poderia ser compreendido — do ponto de vista do fenômeno — como um tipo de imagem que foge completamente a uma visão objetiva ou discernível da realidade.[19] Entretanto, embora essa imagem careça de objetividade visível, ela se apresenta, conforme entendimento do filósofo Simondon, carregada de uma objetividade estética. Em suas palavras:

> A impressão estética [...] faz com que o conjunto de atos do pensamento seja capaz de superar os límites de seu domínio para evocar a realização dos pensamentos em *outros domínios* [...] A impressão estética implica sentimento da perfeição completa de um ato, perfeição que lhe dá *objetivamente* um brilho e uma autoridade pela qual se converte em um ponto destacado da *realidade vivida*, um

---

[19] Segundo Bohm este tipo de *flash* constitui um ato de percepção criativa e normalmente em um âmbito mental pré-verbal. Caracterizado como [único] ato gerador de imagens novas e não derivadas da memória, é um caso de percepção total em que se inclui, também, percepção estética, percepção de emoções; e é claro, nesse sentido a sua totalidade não pode ser descrita e analisada apropriadamente pela linguagem (BOHM, 2005, grifo nosso).

23

ponto da realidade experimentada. (SIMONDON, 2007, p. 198, tradução e grifos nossos).

Em *Difracción*, aquele tipo de percepção compreendido como um lampejo estético condensa de maneira fugaz experiências, memórias e sensibilidades, em uma só impressão. No entanto, de acordo com Dufrenne, esse processo deve ser mediado pela "imaginação, que aciona tal conhecimento e torna o que é adquirido como experiência em algo mais concreto" (1973, p. 348).

Para Bohm, no entanto, não se deve confundir aquela imagem, de convergência entre duas linhas, como o resultado de um processo da imaginação. Em *Difracción*, ela é caracterizada como o único ato gerador de novas imagens e não derivada pela memória. Na medida em que surge aquele *flash,* "a imaginação poderia disfarçá-la, devido a sua capacidade de misturar o percebido com o imaginado" (BOHM, p. 370). Mas essa percepção autêntica deve ser destacada como uma "percepção real, aquela que só quer ser percepção, sem se deixar seduzir pela imaginação, que convida a vaguear em torno do objeto percebido ou pelo intelecto, que para dominar o objeto procura reduzi-lo a determinações conceituais" (DUFRENNE, 2004, p. 80).

Nesse sentido, a relação entre aquelas experiências de reflexão *(noemas)* e a percepção original das linhas convergentes originou um dialogismo imagético interno pela organização e estruturação de percepções, sentimentos, memórias e pensamentos — que, advindos de uma experiência global, alcançaram uma impressão estética. Além disso, essa impressão não foi um fenômeno que surgiu de uma atitude ou disposição indeterminada[20] do compositor. Existe um ímpeto consciente no criador, uma vontade artística mediada por um imperativo estético, que conduz a certas formas, que já estava predestinado a se realizar. Segundo Brelet:

> O artista não é dirigido por forças inconscientes e impessoais que escapam à sua vontade: no mais profundo do artista o psicólogo deve reconhecer a presença de uma vontade estética que organiza toda a vida espiritual em função dela mesma. (BRELET, 1957, p. 23).

---

[20] Cabe salientar aqui que o indeterminado para a fenomenologia não fornece sensação, pois é subjetivo.

Conforme explicado, a percepção daquele lampejo se distingue de outras formas imagéticas trazidas pela imaginação. Contudo, dela se originam um conjunto de imagens que foram trabalhadas na imaginação. Desse conjunto de imagens, destacamos três que surgiram a partir de, e em associação com, a percepção das linhas divergentes: (1) a imagem de um movimento polifônico que é característico da peça; (2) o movimento de ondas difratadas do som no espaço — imagem que determinou o nome da peça;[21] e (3) a imagem dos dedos movimentando-se em direções contrárias ou de maneira divergente no teclado — que aparece principalmente na introdução da peça, e possui valor temático (figura 3).

Figura 3 – Movimentação dos dedos da mão esquerda no teclado

Esse conjunto de imagens mostra que certas características da peça se baseiam em possíveis associações da música com outros domínios perceptivos. Todas essas imagens moldadas pela imaginação foram determinantes no processo de escrita da

---

[21] Em seu livro *On Creativity,* Bohm expõe a sua teoria de que "as ideias científicas mais profundas e gerais sobre o espaço, o tempo e a organização da matéria se baseiam em grande medida na abstração da experiência sensorial, principalmente visual e tátil. " Esta visão está relacionada à sua noção de que as ciências e as artes apresentam, em comum, formas estruturais paradigmáticas do pensamento humano [conforme explica Thomas Kuhn, em *As estruturas da revolução científica* (1970)].

peça, e, como tais, apresentam, proporcionalmente, um papel determinante na formação dos diferentes planos de sua estrutura.

A importância dessas imagens se dá pelo fato de que elas produzem uma ordem hierárquica. Desse modo, elas configuram a peça no tempo.[22] Nesse sentido, as reflexões estéticas e os fragmentos percebidos formam uma primeira ordem hierárquica. A segunda ordem corresponde à percepção autêntica; e a terceira ordem é derivada de um conjunto de imagens associadas à segunda ordem. A figura 4 ilustra a relação das hierarquias com relação ao processo de gestação.

A criação de estruturas e paradigmas é um processo fenomenológico, uma atividade interna que ocorre antes do limiar da experiência consciente (BOHM, 2005). A estrutura seria, em essência, uma hierarquia de ordens em vários planos. Em *Difracción*, particularmente, as diferentes camadas ou planos da estrutura, perceptíveis na composição, foram trabalhados de forma hierárquica. Planos e hierarquias receberam graus distintos de importância durante a elaboração musical e passaram por variações contínuas durante o processo de construção da peça, de acordo com a incorporação de novas imagens ou conceitos. Por exemplo, as imagens de escritas polifônicas, derivadas da segunda ordem, serviram para desenvolver eventos musicais particulares e ao mesmo tempo para articular o processo de escrita de modo mais fluido, facilitando a criação e afetando assim a ordem das idéias já estabelecidas. Desse modo, podemos dizer que a criação da peça gerou hierarquias, e não o contrário.

Em seu artigo "States, Events, Transformations", Ligeti descreve seus principais princípios de composição para a elaboração de *Apparitions*. Esses princípios podem ser compreendidos como paradigmáticos, uma vez que eles servem

---

[22] Segundo Giovanni Piana, "com relação aos sons não se pode afirmar apenas que ocupam um prazo de tempo, mas, sobretudo, que este prazo de tempo é efetivamente captado na apreensão dos próprios sons, como um processo temporal. Assim, quando falamos do começo e do fim do som, falamos de um começo e de um fim experimentados diretamente: assim também tem sentido falar de sons simultâneos e sucessivos justamente devido ao fato de que na experiência do som está implicada a experiência da simultaneidade e da sucessão. Por isso é oportuno falar aqui não só de duração – referindo-nos desse modo ao prazo de tempo entendido como noção objetiva – mas de duração fenomenológica – isto é, de duração que se manifesta concretamente na percepção. " (2001, p. 150)

não só como ferramentas de construção dos processos que configuram a peça, mas também como fontes de imagens e de movimentos baseados no conceito de transformações (irreversíveis) musicais.

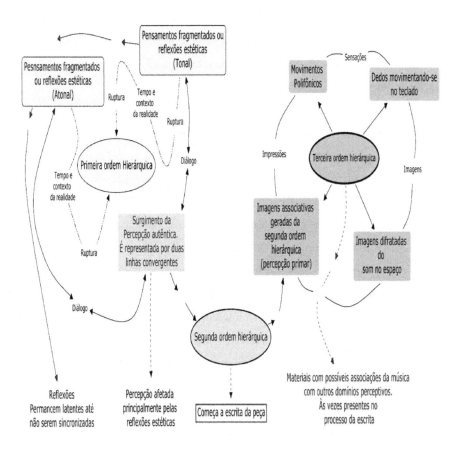

Figura 4 – Estrutura do processo criativo – *Difracción*

De modo semelhante, consideramos que os aspectos pré-musicais, nossas diversas sensações, afetos, imaginações e memórias, têm um papel fundamental na criação global, na transformação de idéias e na organização e configuração de nossas

27

experiências cognitivas. Essas experiências não são vividas separadamente. Assim, a dinâmica que resulta dos diversos modos de entrelaçamento e oposição entre figuras ou constelações de ordem tonal e atonal serviram como fundação para uma construção poética da peça.

A presença sonora: imagens, percepções e pensamentos

O pensamento acerca do tempo musical tem se manifestado, em *Difracción,* talvez não como um processo compositivo, mas sim como uma reflexão crítica da experiência temporal do compositor. Essa reflexão crítica é importante porque, de certo modo, ela, ao lado do processo criativo, serve para confirmar a consciência desse ato criador. Portanto, neste processo criativo há uma estética compositiva que tem por objetivo estabelecer um ponto de fusão do abstrato com a realidade vivenciada.

Se fosse possível notar musicalmente as reflexões sobre o pensamento musical — aquela série de imagens e sensações que participaram do processo criativo de *Difracción,* incluindo aquele momento único, de lampejo — então teríamos uma imagem concentrada, como se ilustra na figura 5.

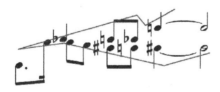

Figura 5 – imagens, sensações e percepções assimiladas.

Nesse grupo de notas, encontram-se "três elementos fundamentais" que o compositor manipulou através de seu processo criativo, para desenvolver a peça, a saber.

Reflexões acerca do pensamento tonal e atonal

A figura 6 apresenta parcialmente a tensão resultante da aproximação das duas formas de pensamento, tonal e atonal, por meio da afirmação e negação contínua entre esses polos. A nota sol tem a função de afirmar uma tonalidade pelo fato de dominar um âmbito sonoro grave em relação às outras notas do grupo. A sua negação é dada no momento em que as notas consecutivas si♭, si♮ e si♭ geram uma ambiguidade referente ao modo maior e menor. De modo semelhante, as notas fa♯, fa♮ e fa♯ não permitem estabelecer uma dominante definida.

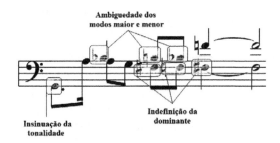

Figura 6 – primeiro elemento fundamental

A inclusão de uma sonoridade consoante e dissonante

A percepção sonora da peça resultou em grande parte de momentos de exploração sonora ao piano. A partir desta exploração, foi possível distinguir, como uma "qualidade" do evento sonoro (MERLEAU-PONTY, 2006), os sentidos de dissonância no pensamento tonal e de consonância no pensamento atonal. Essa distinção entre esses dois "fatos" musicais tornou-se, durante o processo compositivo, uma "impressão" genérica que se originou em parte por meio de sentido de oposição e complementaridade entre as qualidades estridente, ruidosa e plangente.

A figura 7 ilustra o intervalo composto pelas notas lá e si♭, que é reiterado no decorrer da peça. Este parâmetro gera ambiguidades no contexto musical por meio de suas transformações (inversões) intervalares. No início da peça, o intervalo de segunda menor gera perceptivelmente um caráter dissonante.

Figura 7 – segundo elemento fundamental

Na figura 8, as reiterações do intervalo se dão por meio de "transformações",[23] ou seja, por meio de intervalos de 7ª maior, e, considerando as notas lá ou si♭ como fundamentais, por meio de intervalos compostos. Assim, a partir do compasso [1] até o compasso [12], o caráter dissonante da peça, em parte devido a esses intervalos, começa a ser transformado. Isso ocorre mediante a inversão do intervalo de 2ª menor, o de 7ª maior. Somente no compasso [11] é que o processo de transformação alcança o sentido de consonância por meio do intervalo composto, de 9ª menor. Logo em seguida, no mesmo compasso, a dissonância formada pelo intervalo de 2ª menor se repete, e é ratificada pela sua dinâmica em fortíssimo. Vale notar que a indefinição da dominante, que ocorre com o baixo em fa♯, juntamente com o acorde em ré menor, traz também ambiguidade sonora ao contexto. Desse modo, se verifica o processo de transformação do sentido de dissonância no de consonância.

---

[23] Neste trabalho, entendemos como transformações o processo no qual o som resultante da combinação entre as notas lá e si♭ (2ª menor) se expande e se contrai no decorrer da peça.

Compassos [1] a [6]

Compassos [8] a [9]

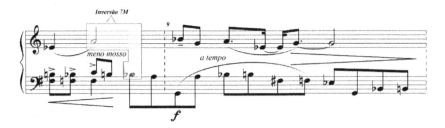

Compassos [10-13]

31

Figura 8 – Transformação da dissonância

Na figura 9, a partir do compasso [13], as transformações do intervalo lá-si♭ oscilam entre 9ª maior, 7ª menor e 2ª menor. Neste último intervalo, a dissonância é preparada.

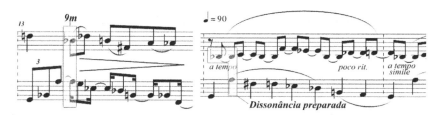

Figura 9 – Transformação da dissonância

No compasso [25] reaparece o intervalo dissonante de 2ª menor, que lembra o início da peça. E nos compassos [30] a [36], o intervalo dissonante sai de seu registro habitual e, assim, aponta para a expansão dos materiais sonoros apresentados nesta peça (Figura 10).

Figura 10 – Transformação da dissonância

34

A relação imagética do movimento dos dedos

O terceiro elemento fundamental que foi usado para desenvolver as idéias em *Difracción* apresenta aspectos em comum com o primeiro. Ambos estão relacionados àqueles intervalos que de certo modo definem a qualidade dual da peça. Porém, o que importa nesse contexto é mostrar a associação dos movimentos dos dedos no teclado com a forma da peça. A improvisação ao piano foi talvez a atividade mais importante para se buscar o material sonoro. À medida que o improviso foi sendo desenvolvido ao longo da peça, houve uma ligação de idéias que se referem às teclas do piano (brancas e pretas), à movimentação dos dedos e aos fragmentos estéticos relativos ao pensamento tonal e atonal. A movimentação dos dedos, então, foi sendo imaginada conforme o aparecimento de fluxos de idéias, dando origem à associação do som (intervalo de 4ª justa) com outros domínios perceptivos. À assimilação resultante desses eventos corresponde, finalmente, a representação de linhas que se direcionam de modo oposto, por meio da movimentação dos dedos. Na figura 11, ilustra-se essa relação. Ela corresponde à movimentação espontânea de meus dedos no ato de improvisação. O fato de não corresponder àquele que a maioria dos pianistas usaria, tem importância fundamental na passagem da improvisação pelo pianista, como veremos mais tarde.

Figura 11 – terceiro elemento fundamental

Essa estratégia formal representada é uma das mais importantes na peça, pois ela se manifesta em vários planos e de diversas maneiras. Ela contribui, assim, de modo predominante para a formação estrutural da composição. Seguem alguns exemplos de como essa estratégia ocorre de modo continuado, em *Difracción*, por meio de divisão em partes ou desmembramento do elemento dissonante formado pelas notas si, fa♯, si♭ e fa♮. Essa divisão acontece de vários modos, seja por inversão, combinação, variação ou fragmentação das notas. A figura 12 mostra os exemplos mais recorrentes desse desmembramento.

Figura 12 – Subdivisão do terceiro elemento fundamental

3.1.4 A experiência temporal em relação à estrutura sonora

O processo de escrita, em *Difracción* também é influenciado pela reflexão crítica da experiência temporal. Para Brelet (1957), o tempo formal, objetivo, e o tempo vivido, psicológico, são entrelaçados no pensamento musical. Em *Difracción*, a crítica é desenvolvida a partir das idéias da filósofa a respeito da relação entre a matéria sonora, em sua estrutura, e a forma temporal. Para a filósofa, matéria e forma são indissociáveis e se constituem musicalmente como uma relação dialógica, em um devir — um processo de realização temporal dinâmico — que afeta a percepção e a fruição estética, tanto do ponto de vista de sua realização criativa, de sua fluência, como um todo, e de sua finalização. Conforme explica Brelet, a matéria sonora se projeta, na criação, perceptivelmente em relação à forma temporal psicológica à medida que produz um sentido de continuidade musical; e, por sua vez, a forma temporal vem a ser relevante nesse processo, pois ela possibilita organizar a matéria sonora para garantir a realização e o fechamento da duração vivida da sonoridade em questão. Assim, a sonoridade global surge, em *Difracción*, fundamentalmente da experiência auditiva, que por sua vez tende a determinar a forma; enquanto que a forma, como mediadora criativa, possibilita novas experiências auditivas.

Nesse sentido, aquele devir musical que se constitui em uma relação dialógica entre matéria e forma deve ser "percebido", na peça, a partir de uma escuta da composição de sonoridades característica, que se refere a uma integração entre aqueles três elementos fundamentais de construção musical — isto é, um conjunto de sonoridades que resulta da combinação dos intervalos de 9ª maior, 2ª menor, 4ª justa e 7ª maior e que são direcionados conforme o movimento dos dedos. A combinação desses intervalos e a direcionalidade das vozes foram percebidos, durante a criação, como elementos essenciais para dar continuidade à matéria sonora. Para desenvolver e dar continuidade a esta idéia, o procedimento usado, de modo intencional, foi a polifonia. Levando-se em consideração que esse conjunto de intervalos, na peça, permite criar uma integração dos materiais, o uso da polifonia serviu para dotá-la do sentido de continuidade e fluência, além de possibilitar a criação de estratégias para finalizar a composição (Figura 13).

Aglutinação sonora   Projeção do devir musical

Figura 13 – A projeção do devir musical

Tal procedimento para expandir a sonoridade poderia ser considerado lógico. Contudo, à medida que as sensações sonoras são vivenciadas, a duração e a continuidade das estruturas sonoras criadas tornam-se subjetivas. Assim, o entendimento da sonoridade, como um todo, é alterado pela experiência perceptiva. Há vários pontos no desenvolvimento de *Difracción,* que são suscetíveis à projeção e ao encerramento da duração vivida, em termos de *devir* musical, os quais são determinados tanto pelo sensível sonoro quanto pela forma temporal. Na figura 13, mostra-se em número de compassos, os pontos em que a projeção deste devir é afetada, seja pela forma temporal, seja pelo próprio sensível sonoro, que se quer libertar da fôrma para prolongar a duração vivida.

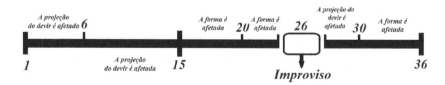

Figura 14 – A projeção do devir em *Difracción*

Podemos ilustrar essas idéias do seguinte modo. Primeiramente, para escrever os compassos de [1] a [6], elaborei três seções, em dias diferentes, para explorar as primeiras idéias musicais no piano. A sensação do tempo era lenta. Durante esse período, apenas cinco compassos, de 45 segundos, aproximadamente, foram completados. No entanto, a sensação global foi a de que a produção realizada havia sido muito maior. Essa sensação, é a duração do tempo que constrói o devir musical, conforme explica Brelet:

> O homem e o artista vivem juntos no tempo, mas não experimentam o tempo da mesma maneira, pois sua experiência temporal é necessariamente distinta. [...] Enquanto o músico vive num tempo criador, o homem morre lentamente na duração trivial e destrutora [...] pois se a obra musical nos faz participar em uma duração eternamente criadora e renascente, o tempo *comum* [corriente] leva-nos à morte. (BRELET, 1957, p. 110, grifo nosso).

Portanto, essa experiência, marca um primeiro fechar-se do devir da sonoridade em [1] a [6]. Aqui a sonoridade é reiterada em cada compasso de maneira semelhante, fazendo apenas pequenas variações nos últimos tempos do compasso. Desse modo, a duração vivida é esgotada até o [6]. Nesse sentido, podemos dizer que o projetar-se da sonoridade é determinado pela forma, porque a forma leva à conclusão deste devir antes que a duração da sonoridade torne-se subjetiva. Assim, a forma mesma exige um novo tratamento da sonoridade.

Na figura 14, a continuidade da integração dos três elementos fundamentais, seu "devir", começa a ser tratada sem perder seu caráter essencial. A partir do [6] até [15], é o estágio criativo mais fluente da peça. Portanto a continuidade dos três elementos é bastante expandida. O trecho é marcado por um momento, no qual a escrita da peça foi interrompida por três dias, traçando uma pequena ruptura da continuidade desse devir musical. O autor retomou essa continuidade vivenciando essa sonoridade, a partir do [8] até [10], repetindo várias vezes o fragmento ao piano. Assim, o autor resgatou a continuidade interrompida entre os [10] e [11] por cromatismo das notas faᵇ→fa♯ e reᵇ→re♮, juntando-se à consonância atingida do segundo elemento fundamental o que garantiu desenvolvimentos dos três elementos até o [15]. O dado que manifesta o fechamento desse desenvolvimento é o uso combinado das notas do [6] no [14]. Nesse sentido a sonoridade é determinada pela forma, criando a possibilidade de uma nova experiência auditiva.

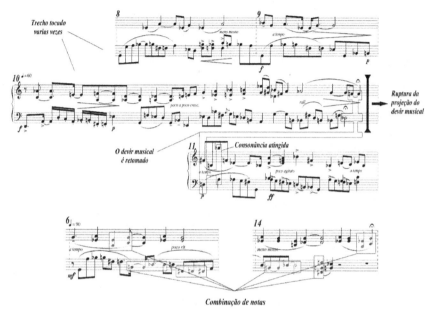

Combinação de notas

Figura 15 - continuidade da integração dos elementos fundamentais

Neste ponto da peça *Difracción,* afastei-me do processo criativo por duas semanas. Desse modo, o interromper-se do processo criativo foi considerável e representou uma ruptura forçosa no devir musical, uma ruptura entre a "espontaneidade da duração e o desenvolvimento da forma" (*ibidem*, 77). Na figura 15, essa ruptura é refletida no [15] quando o autor retoma o processo da escrita, utilizando as quatro últimas colcheias do [6]. Essa reiteração é um anseio — com pouco sucesso — por re-descobrir a continuidade da duração perdida. Em [16] a [19], o desenvolvimento é fraco e a duração da sonoridade começa a afastar-se da sua forma original. É por isto que há uma estranheza na sonoridade neste ponto que é notada pelo uso de cinco tons inteiros descendentes que reiteram-se durante os quatro compassos na voz inferior e o uso da nota si♭ que ascende e descende por grau conjunto ao dó, contrastando com o movimento habitual do si♭ na peça inteira. Mesmo que o resto das notas nesses compassos lembrem o caráter do resto da peça, ou que o andamento retorne, não se resgata completamente o devir musical perdido. Assim, podemos dizer, que neste trecho, *a sonoridade determina a forma*, porque submete-a à duração de um devir que havia perdido sua continuidade, tornando forçado o desenvolvimento do material sonoro. No entanto, o devir é retomado, e de modo semelhante entre os [20] e [26] *a forma volta a determinar a sonoridade.*

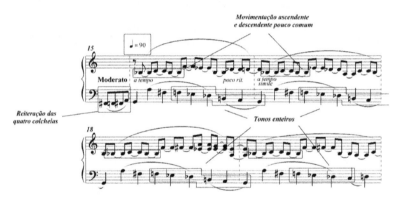

Figura 16 – Encerramento parcial do devir musical

Outro exemplo dessa experiência ocorreu quando tive a intenção de introduzir um improviso na peça. Essa intenção teve em parte um fundamento pedagógico. Ela se originou de um debate que ocorreu em sala de aula, durante o mestrado. O debate, que teve um grande impacto em minhas idéias e valores sobre *performance* até então, se referia às habilidades dos intérpretes para improvisar no contexto da música contemporânea. No entanto, a inclusão de um improviso na peça gerou questões que foram relevantes, posteriormente, para uma percepção mais acurada das vivências que dão sentido àquela relação.

Por um lado, existiu a possibilidade de que fosse um improviso guiado, e a maneira de guiá-lo seria introduzir elementos notados, de sonoridades inter-relacionadas, à medida que o improviso se desenvolvia, almejando que elas orientassem a percepção do intérprete — sem afastá-lo da sonoridade própria da peça.

Por outro lado, impor ao intérprete, no ato de improvisar, fragmentos musicais preconcebidos, a princípio contrariava radicalmente o meu ponto de vista de que uma boa improvisação depende da percepção de sonoridades que são prevalecentes, produzindo fluência no desenrolar da composição. Além disso, ao incluir esses fragmentos para nortear o intérprete, em seu improviso, eu diminuiria o valor da busca pedagógica. Pude constatar que para fins da *Difracción*, a idéia de não impor ao intérprete materias músicais preconcebidos poderia dar bons resultados. Como declarou Anne Marquez Catarin, a primeira intérprete da peça,

> Na primeira vez que li "Difracción", o que mais me chamou a atenção foi a expressividade dela, os contrastes da intensidade dos sons e nisso pus meu foco. Após algumas recomendações do compositor, pude tocá-la da maneira que lhe é aceitável. Nessa peça, o meu maior desafio, [...] foi o improviso atonal, de longe algo que eu não estava acostumada a fazer. Foi-me necessária a orientação de Jerez para que eu saísse dos padrões tonais. Foi um processo lento, primeiro com a minha observação sobre as improvisações dele, depois nós fizemos duetos e por fim comecei a improvisar sozinha, ainda que incerta do que fazia. A partir de determinado momento, comecei a notar os padrões rítmicos e expressivos da peça e passei a usá-los no improviso, mesmo que utilizasse de idéias diferentes. Conforme fui me acostumando a tal prática, um novo senso crítico foi desenvolvido e a improvisação tornou-se mais fácil, *Difracción* deu a liberdade de criar, de usar dissonâncias e consonâncias que formam inesperadas possibilidades musicais. Pensando desse modo, os improvisos foram amadurecendo até chegar ao estágio atual.

Finalmente, a decisão pela orientação *a priori* no improviso se baseou em parte em um limite de tempo e de registro sonoro, como se ilustra na figura 16. A limitação do tempo em 1 minuto e 20 segundos para o improviso, antes do compasso [29], foi pensada com o objetivo de não ultrapassar a proporção global, temporal, da peça, e não anular a expectativa criada, de retorno àquela sonoridade característica, dos compassos [29] e [30], como planejado. Este âmbito sonoro, entre as notas dó2 e sol4, deveria conservar "intacta" a experiência produzida pela frequência baixa das notas sol0 e sol1, tocadas antes e após o improviso. Além disso, o limite estipulado para o registro agudo, sol4, permitiu não antecipar a sonoridade que se produziria pela nota sol6 no compasso [30], importante para conferir sentido à curva melódica geral da peça.

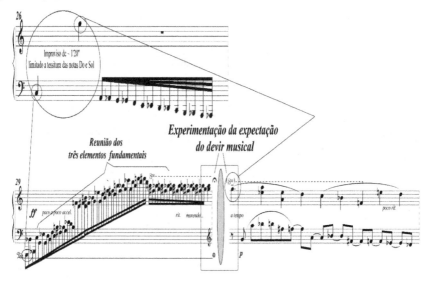

Figura 17 – Guia para improviso e expectação do devir musical

Porém, logo percebi que prever a duração para o improviso por si só não seria suficiente para suscitar o retorno àquelas sonoridades que constituem o "devir" em *Difracción*. Assim, imaginei integrar essas sonoridades em um só movimento, utilizando o pedal do piano como estratégia. Ao manter o pedal abaixado desde o início do compasso [29] até a *fermata,* foi possível criar a sensação de uma sonoridade característica, em que o movimento ascendente, *arpeggiato*, produz a reverberação daqueles três elementos constitutivos do pensamento sonoro, de modo a possibilitar o desenvolvimento coerente da peça.

Posteriormente, cheguei à conclusão de que aquela idéia usada para dar forma à peça não fora satisfatória. Ao ser afetado por uma vivência temporal, psicológica, daquela sonoridade característica durante o processo criativo, faltou tempo suficiente para que a forma se desenvolvesse proporcionalmente. Podemos, de modo analógico, relacionar a projeção do devir musical, com uma experiência perceptiva suscitada em duas ocasiões em que contemplava o pôr do sol na janela do meu apartamento. A princípio, os raios emitidos pelo sol provocaram reflexos nas nuvens mais altas, dando origem a uma paisagem de infinitas cores no céu. Na primeira ocasião — vários minutos antes do ocaso, contemplei o fenômeno até que os raios deixassem de incidir sobre as nuvens, colocando fim ao espetáculo. Na segunda ocasião — ainda com mais tempo para presenciar o evento — observei novamente o ocaso durante alguns minutos, mas desta vez, o momento foi suspenso por um barulho forte produzido pela batida de dois carros na via pública, o que dispersou a minha atenção durante vários minutos. Quando o ato de presenciar foi retomado, a paisagem no céu havia mudado completamente. Em seguida a essa "percepção", refleti que na primeira ocasião a contemplação do evento visual criou uma sensação de não haver experimentado nenhuma mudança significativa na paisagem, ainda que em estado de atenção absoluta. [24] No entanto, na segunda ocasião se percebeu, de modo contrastante, as mudanças das cores refletidas nas nuvens. Podemos estabelecer uma analogia com a maneira em que a projeção da sonoridade ocorreu em *Difracción*. Se na primeira ocasião, que houve uma experiência visual sem interrupção, não foi possível perceber as mudanças de cores da paisagem, do mesmo modo, em *Difracción*, a proposta seria à de não aludir ao devir musical durante a peça inteira.

Portanto, a estratégia — do modo análogo à segunda ocasião — pensada para suscitar no ouvinte uma experiência da projeção do devir musical, seria introduzi-lo primeiro e, aos poucos, diminui-lo (até permanecer exterior à sua consciência) para então ser retomado, recordado, e assim, completar a experiência desta sonoridade no ouvinte. Mas o improviso pode em maior ou menor grau interromper este fluxo contínuo, dependendo do caráter que tome. Espero, como é óbvio, que o intérprete

---

[24] Gibson considera que devido ao deslocamento das imagens na retina, não se percebe significativamente o movimento dos objetos quando estão sendo observados (1950, p. 145-146).

não se afaste dos materiais da própria peça a ponto de causar uma desagregação da forma. Entretanto a própria diferença entre o meu dedilhado do material básico da obra (figura 11), que deu origem a todos os seus desdobramentos, e o dedilhado com que um pianista normalmente tomaria aquela passagem, impede que o improviso seja totalmente contínuo com a parte composta da obra. A diferença no gesto do compositor e do intérprete bastaria para conformar o elemento de interrupção, análogo ao ruído na rua na sensação que descrevi, para alterar a projeção do devir musical. De acordo com Brelet, o criador, imerso na duração empírica e psicológica do ato criativo, afeta o tempo objetivo do material sonoro. No entanto, "tanto na criação quanto na contemplação da obra de arte, o vivenciado é dado só através da forma" (p. 78). Desse modo, podemos dizer que houve um "desequilíbrio" entre a duração vivida da sonoridade e a forma temporal, trazendo um sentido de ruptura da sonoridade, ou o fechamento prematuro do processo de devir musical.

> O músico do tipo psicológico que no ato da criação se abandona ao fluxo de seus estados de consciência não pode se situar em um presente dado em que a forma se realiza, ao mesmo tempo que se realizam as virtudes positivas e criadoras da duração[25] (BRELET, 1957, p. 103).

Finalmente, nos compassos [30] a [36], a forma foi mais determinante para se conceber a fluência dos eventos nesta passagem. Devido ao fato de que aquela sonoridade característica é explorada na maior parte da peça, utilizei então, para encerrar a peça, a idéia dos movimentos dos dedos como estratégia para fazer alusão a um sentido musical de "difração". Ao invés de explorar novos tratamentos da sonoridade, me limitei a buscar uma "forma" que lembrasse as primeiras idéias sonoras da peça (compassos [1] ao [6]). A figura 17 apresenta o material dos primeiros compassos utilizados no encerramento de *Difracción*.

---

[25] Brelet considera a questão da duração musical relacionada a duas formas distintas de experiência de criação, que são complementares e não dissociadas inteiramente: uma mais psicológica, empírica, e outra mais construtiva, direcionada de modo racional (1957, p. 86).

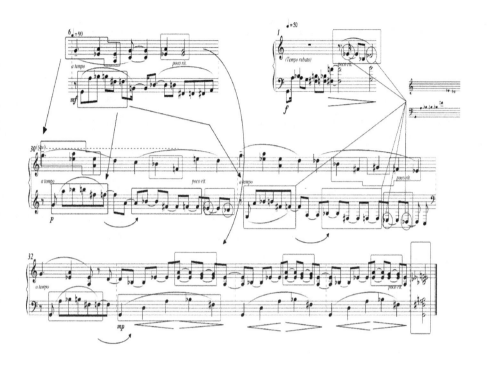

Figura 18 - Encerramento do processo de devir musical

Assim, nesse segmento existe uma inspiração formal que não resulta da exploração de categorias harmônicas, mas de um aspecto que se mostra intrínseco ao processo criativo — ao processo de coerência do pensamento musical que possibilita escutar uma "origem" e um "fim". Esse processo de dar sentido formal a uma peça depende do exercício ativo da memória, que permite, por meio de suas próprias formas, no decurso do tempo, trazer imagens e sensações vividas de modos diferentes, como novos conteúdos. De acordo com Simondon, a memória funciona como mediadora desse intercâmbio entre imagens e sensações. Em suas palavras:

Se pode dizer que a função de conservação das lembranças existe na memória, no homem, porque a memória, concebida como um conjunto de formas, de esquemas, recebe a lembrança que registra, porque *a vincula com suas formas;* ao contrário, o registro em uma máquina se faz sem memória prévia. Desta diferença essencial resulta para a memória humana uma *incapacidade* importante relativa à fixação de elementos *sem uma ordem* (SIMONDON, p. 140, grifos nossos).

Desse modo, em *Difracción* o relacionamento entre os conteúdos sonoros "organizados" pela memória garante à experiência auditiva uma estrutura que suporta tanto a continuidade da duração musical sem deixá-la escapar da consciência, quanto à percepção dos limites da duração, sem fragmentá-la.

Enfim, a concepção da estrutura em *Difracción* não é possível senão por uma ordem de pequenas hierarquias. Por exemplo, a estrutura do processo pré-musical de *Difracción* derivada dos planos noemáticos e dos três elementos fundamentais relacionam-se entre si, em uma ordem inseparável. Portanto, a partir, de um ponto de vista compositivo, é possível entender que a criação é gestada durante um longo processo dependente das nossas diversas sensações, afetos, imaginação, memória e reflexões. Elas têm um papel fundamental na criação global, transformação de idéias, organização e configuração de nossas experiências cognitivas. Essas experiências não são vividas separadamente.

Considerações Finais

Neste trabalho procuramos concentrarnos nos aspectos da criação musical anteriores ainda ao momento em que se pensam as sonoridades. Por se um assunto pouco estudado, há nele um grande número de sugestões, muitas delas relativamente originais. Por outro lado, algumas delas podem ensejar muitos desdobramentos em trabalhos ulteriores.

Em primeiro lugar, consideramos que a busca para experimentar a realidade sem desconfiar dos nossos atos de percepção, sem reduzi-los a uma soma de acontecimentos psicológicos ou categorizar os fenômenos percebidos como resultados separados de nossos sentidos permitiu, ao longo desse processo, aprofundar a percepção do modo com que realidades distintas podem estar associadas; e assim ancorá-las dentro de processos compositivos. Destacamos em *Difracción*, a convergência de diferentes realidades não implicou em uma fusão total dos diversos elementos constitutivos da composição e nem das imagens criadas para gerar a continuidade, fluência e fechamento da forma no tempo. Portanto, entendemos que a experiência dessas percepções é fundamental para a síntese de sonoridades.

Em segundo lugar, consideramos que a complexidade em que nossos pensamentos constroem redes para manterem-se ligados através dos tempos vividos pela consciência trazem potencialidades para se estruturar todo um processo criativo, como vimos em *Difracción*. O tempo, compreendido como um fenômeno que influencia tanto a vida no mundo quanto o mundo da criação musical é instável e pode prejudicar o processo criativo se, na dialógica entre o material musical e a forma, o compositor não souber respeitar as imposições formais sobre a inspiração da matéria sonora ou o contrário. Nesses termos, a estrutura da peça é em grande parte produto de um processo intuitivo que tende à eliminação do tempo psicológico do criador de modo a conservar a objetividade da duração temporal.

Em terceiro lugar, finalmente, consideramos que as estratégias compositivas da peça derivam-se da interdependência de três atividades da mente — memória, imaginação e analogia — que tem sentido, na arte, por meio da particularidade das nossas experiências estéticas.

Difracción

Difracción

Sergio Murillo Jerez

Referências Bibliográficas

BRELET, G. **Estética y Creación Musical**. Tradução: Leopoldo Hurtado. Buenos Aires: Librería Hachette S. A., 1957.

BUCKINX, B. **O pequeno pomo**. Tradução: Álvaro Guimarães. Cotia: Ateliê Editorial, 1998.

BOULEZ, P. The composer as critic. In: NATTIEZ, Jean-Jacques (Ed.). **Orientations**. Tradução: Martin Cooper. Cambridge: Harvard University Press, 1986.

BOHLMAN, P. V. Ontologies of Music. In: COOK, N.; EVEREST, M. (Eds.) **Rethinking Music**. Oxford: Oxford University Press, 2001.

BOWMAN, W, D. **Philosophical Perspectives on Music**. New York, New York: Oxford University Press, 1998.

BOHM, D. **On Creativity**. Tylor and Francis e-Library. London, 2005.

CHAVES, C, L. Por uma pedagogia da composição musical. In: FREIRE, Vanda Bellard (Org.). **Horizontes da pesquisa em música**. Rio de janeiro: Letras, 2010.

CAZNOK, Y, B. **Música: entre o audível e o visível**. 2.ed. São Paulo: Editora UNESP, 2003.

DUFRENNE, M. **Estética e Filosofia**. Tradução: Roberto Figurelli. 3.ed. São Paulo, Brasil: Perspectiva, 2004.

_____. **Phenomenology of Aesthetic Experience**. United States of America: Northwestern University Press, 1973.

GOODMAN, N. **Linguagens da Arte**. Uma abordagem a uma teoria dos símbolos. Tradução: Vitor Moura; Desidério Murcho. Lisboa: Gradiva, 2006.

GIBSON, J. **The Perceptual of the Visual World**. United States of America: The River press, 1950

KUHN, T. S. **A estrutura das revoluções científicas**. São Paulo: Perspectiva, 1970.

LE MOIGNE, J, L; MORIM, E. **A Inteligência da Complexidade**. Tradução: Nurimar Maria Falci. 3.ed. São Paulo: Peirópolis, 2000.

LIGETI, G. States, Events, Transformations. **Perspective of New Music,** v.31, n.1, p.164-171.

NOGUEIRA, M. Da Idéia à Experiência da Música. **Claves,** João Pessoa, n. 7, 2009. Disponível em:

http://www.ccta.ufpb.br/claves/pdf/claves07/claves07.pdf   Acesso   em: 28/04/2012.

PIANA, Giovanni. **A Filosofia da música**. Tradução: Antonio Angonese. Baurú, SP: Edusc, 2001.

MERLEAU-PONTY, M. **Fenomenologia da Percepção**. Tradução: Carlos Alberto Ribeiro de Moura. 3.ed. São Paulo, Brasil: Martins Fontes, 2006.

POTOLSKY, M. **Mimesis**. New York: Routledge, 2006.

SCHAFER, R, M. **A Afinação do Mundo**. Tradução: Marisa Trench Fonterrada. São Paulo: Editora UNESP, 2011.

SIMONDON, G. **El Modo de Existencia de los objetos técnicos**. Tradução: Margarita Martínez, Pablo Rodríguez. Buenos Aires: Prometeo Libros, 2007.

SMOLKA, A, L, B. A Memória em Questão: Uma perspectiva histórico-cultural. **Educação & Sociedade**, ano XXI, n° 71, Julho /00. Disponível em: http://www.scielo.br/pdf/es/ v21n71/a08v2171.pdf. Acesso em: 27/02/2012.

WILSON, John. **Pensar com conceitos**. Tradução Waldéa Barcellos. São Paulo: Martins Fontes, 2001.

WISNICK, J. M. **O som e o sentido**. São Paulo: Companhia das Letras, 1989.

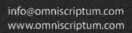

Made in the USA
Las Vegas, NV
06 September 2021